ペット
コミュニケーターが
教える！

大好きな
この子のきもちが
わかる本

ペットコミュニケーター
へんみなおこ著

Clover
クローバー出版

はじめに

ペットと会話できる世界へようこそ！

この本には、ペットと楽しく会話ができるようになるための、ノウハウが書かれています。

「え？　ペットと会話？　そんなこと本当にできるの？」と思ったかもしれません。

それでもこの本を手に取ってくださったあなたは、きっと犬や猫、うさぎなどペットが大好きな方だと思います。

そして大好きなペットと、「もっと通じ合いたい！　できるなら会話したい！」と興味を持ってくださったのではないでしょうか。

会話といっても、ペットたちは声に出して日本語や英語をしゃべるわけではありません。

ここでいう会話は、「非言語の会話」つまり「心と心の会話」

になります。

ペットコミュニケーションは、アニマルコミュニケーションと同じです。私は「人と暮らすペットが幸せになってほしい」と願い、ペットコミュニケーションと呼んでいます。

ペットたちや自然界の動物たちは、私たち人間には見えない、聞こえないところで会話をしています。

「わん！」とか「にゃー」などと、声に出さなくても会話しているのです。

そのペットたちのやり取り、会話の方法を、私たち人間も使えるように紹介するのが、この本の目的です。

ペットたちも飼い主さんに、自分の気持ちや考えを伝えたいと思っているんですよ。

何か言いたげにじっと見つめられたり、何度も吠えたり、鳴いたりして、私に何か言いたいのかな、

と思ったことはありませんか。

こんな時、その胸のうちをわかってあげられたら、どんなにいいでしょう。

ペットコミュニケーションは「心と心の会話」です。

それは「テレパシー」による会話です。

テレパシーと聞くと、「不思議な力」「特別な能力」というイメージが強いですよね。

でもテレパシーは特別なものではなく、誰にでも備わっている能力なのです。

実は私も、最初から自分がペットと会話できると思っていたわけではありません。

みなさんと同じように、興味はありながらも「そんなことは特別に訓練された人ができるもの」「生まれた時からその人だけが持っている不思議な能力」と思っていたのです。

テレパシーなんて、とんでもない！　できっこない！　どこか遠い星の宇宙人がやるもの、なんて漠然と思っていました。

私が、動物と話せる手法があることを知ったのは18年前のこと。愛犬が、突然の事故で余命いくばくもない状態になった時でした。

死に近づく愛犬の世話をしながら、姉から「動物と会話ができる人がいる」と聞いた時は、半ば胡散臭いと思いました。しかし、憔悴しきった私の様子を見兼ねた姉に半ば強引に連れて行かれて、「動物と会話ができる人」のセッションを受けたのでした。

愛犬の死が迫っている動揺と、コミュニケーションを疑う気持ちとで、当時の内容はほとんど覚えていません（笑）。疑いが強すぎて真剣に聞く気になれなかったのです。今思うとせっかくのチャンスを棒に振った、もったいない経験でした。

その後、愛犬を見送った私はペットロスになり、あまりの苦しさに藁をもつかむ思いでインドへ行き、「心と心で会話する」ことを学びました。

「もう一度、あの子を抱きしめたい！　つながりたい！」と心の底から思い、必死に練習し、いつしかコミュニケーターとしてお仕事をいただくようになって、今に至ります。

あんなに疑っていた、ペットとのテレパシーでのコミュニケーションを、自分がお仕事にするなんて……………。人生は、何が起こるかわからないものです。

私のペットロスは、ペットと会話することでだんだん癒やされていきました。

そんな、疑り深い私でもできるようになったペットコミュニケーションですから、あなたもきっとできるようになるはずです。

基本的な会話は、3カ月もあればできるようになります。

ペットと話す基礎を学び、答え合わせをくり返していけば、やがて習得できます。


「うちにきて幸せ?(だった?)」

この質問は、ペットコミュニケーションで飼い主さんから受ける一番多い質問です。

大好きなペットが、自分といて幸せなのかな?

うちにきてよかったかな?

「きっと幸せに違いない、でも100%と言い切れるほど自信はない」

ペットの幸せに確信が持てず、飼い主さんは確かめたくなるのではないでしょうか。

でもこんな思いで毎日を過ごすなんて、もったいないです。

私は、飼い主さんからこの質問を受け取ると、ペットたちに聞きます。

「どんな時が幸せなの?」

「家族(飼い主さん)のこと、どう思っているの?」

他にも飼い主さんからいただいた質問をします。

「ご飯は美味しい?」

「お留守番は大丈夫?」

「何かして欲しいことはある?」

「お散歩は好き?」

「同居の犬（猫）のことはどう思っているの？」

ペットから聞いた答えを飼い主さんに伝えると、
「そんなふうに思ってくれていたなんて………」
と、ペットの言葉で心が軽くなったり、本音を聞いて思わず泣いたりしてしまう人もいらっしゃいます。

こんなステキな瞬間に立ち会えて、私はとても幸せです。

そんなコミュニケーションを繰り返すうちに、ペットの思いを飼い主さんが直接聞けたらもっとステキ！　と思うようになりました。

「一緒にいて幸せだね」とペットと心から笑い合う毎日。

想像するだけで、心がホワッと温かくなります。

テレパシーが使えるようになると、

・ペットの気持ちがわかる
・ペットと愛情のやり取りが深まる

・幸せ感が増し、直感力もさえる

今よりもっと心と心がつながり、幸せを実感できるようになるでしょう。

「私には無理かも……」と思っていた気持ちが、この本を読み終える頃には、「私にもできそう！」と思えるようになっていただけたら幸いです。

くり返しになりますが、特別な能力がなくてもペットと会話することは可能です。

あなたの中にある「大好きなあの子と心と心で会話したい」、そんな気持ちがあれば大丈夫です。

心を楽にして、本書を読み進めてみてください。

contents

Chapter 2 ペットコミュニケーションの準備

contents

Chapter 4 ペットコミュニケーションがもたらす未来

Prologue
ペット
コミュニケーションが
起こした奇跡

ペットコミュニケーションって、
すごく興味あるけれど……。
本当にお話ができるのなら、
やってみたい！
そんな飼い主さんたち、
勇気を出して門を叩いてみて
くださいね！

気持ちがいいね

大切なペットと会話ができる？ペットコミュニケーションの奇跡

ペットの気持ち……しっぽや表情で、なんとなく察することができても、本当にそれが合っているかどうか、確信が持てないこと多いですよね。本当はなんでもわかってあげたい。こちらの気持ちも、ちゃんと伝えたい。すれ違っていたペットと飼い主さんとの関係が、ペットコミュニケーションによって劇的に変化する奇跡のようなできごと、たくさん起きているんですよ。

本音を知ったら抱きしめたくなる！

ペットの気持ちを、飼い主さんにお伝えする活動を始めてから約15年、その間に、たくさんの変化報告を飼い主さんからいただきました。

中には、セッション中に目が輝き出して、表情が変わる子もいます。

飼い主さんに気持ちをわかってもらえたうれしさから、「ありがとう」って何度もお礼を言ってくれるペットもいます。

そんなペットたちの変化を目にした飼い主さんは、驚きながらもうれしそう。

「今までわかってあげられなくてごめんね」という気持ちと、

「わかってよかった」という気持ちとで、心が愛しさでいっぱいになるのです。

まさに「本音を知ったら抱きしめたくなる」です。

冒頭でも書きましたが、今から18年前、私は、大切な愛犬を亡くし、ペットロスになってしまいました。

見るものすべてに光や色がなくなり、何もかも時を止めてしまったような、そんな心が動かない世界にいました。

あの時は辛かったなぁ。

突然の事故で逝ってしまったので、喪失感も強かったのだと思います。

そんな私と同じ、ペットロスのような状態になってしまった猫ちゃんとその飼い主さんに起きた奇跡のお話を、ご紹介しますね。

1 もう何もしたくないの……悲しみに暮れるはなちゃんのお話

はなちゃんは4才の女の子。美人の三毛猫さんです。

はなちゃんの飼い主さんは、「最近元気がなく、寝てばかり……。病院に連れて行ったけれど、どこも悪くはなく、ストレスかもしれない」と思い、どんなストレスがあるのだろうと、ペットコミュニケーションを申し込まれました。

はなちゃんは、同居の猫ちゃん4頭と暮らしています。

飼い主さんから見ると、それぞれマイペースで、ケンカもなく、落ち着いた暮らしをしているそうです。

ですから、何がストレスなのか、見当もつかずに困り果てていました。

ただ一つだけ思い当たるのは、一年前に亡くなったハチワレのつくしちゃんのことでした。つくしちゃんとは兄弟で、一緒に保護した経緯もあり、とても仲良しでした。もしかしてそれが原因？　とも思うけれど、一年も前のことなので、確信が持てずにいました。

私がはなちゃんとコミュニケーションしてみると、悲しみいっぱいの気持ちが風船のように膨らんで、私の胸に伝わってきました。もう苦しくて切なくていたたまれないほどです。

私がペットロスの時に感じていたものと同じです。

そこではなちゃんに聞いてみました。

「もしかして、この気持ちはつくしちゃんを思ってのこと？」

聞いた瞬間、先ほど伝わってきていた胸の風船が「パン！」と破裂し、たくさんの気持ちがあふれ出しました。

「もう辛いの。どこを探してもつくしがいなくて、寂しくて寂しくてどうしようもなくなっちゃったの……」

はなちゃんの心には、大粒の雨が降っていました。

つくしちゃんがお空に行ってから降り出した雨は止むことなく、日増しにひどくなって、ついにはどしゃ降りになっていたのです。

私の胸は切なさでいっぱい、パンパンです。

「辛いね……」

ただただ、受け止めてあげることしかできません。

慰めや希望は、ここまでになっていると、全部を受け止めることはできません。まずは、ただただ共感するだけ。誰かと一緒に、共有するのが大切です。

はなちゃんは、つくしちゃんとの思い出をイメージで送ってくれました。

体を舐めあったり、一緒に寝たり、追いかけっこしたり。

笑いや安らぎの感情も、全部一緒に分かち合った、はなちゃんにとってつくしちゃんは、なくてはならない存在だったのです。

つくしちゃんがいなくなってしまって、心にポッカリ穴が空いてしまったのですね。

あんなふうに楽しく笑いたい、安らぎを取り戻したい！　はなちゃんは、つくしちゃんをいつまでも、追い求めていたのです。

でも、どんなに探しても、どこにもいない。

頭ではわかっているけれど、心がつくしちゃんを探して探して……そして、いつしか絶望してしまったのです。

はなちゃんの気持ち、私には痛いほどわかりました。

かつてペットロスになった時、私もまったく同じだったからです。

はなちゃんから受け取ったつくしちゃんとの思い出を、飼い主さんに伝えると「やっぱりそうだったのですね、実は私もつくしが忘れられなくて……」

そう言うと、飼い主さんの風船も破裂してしまいました。そして、はなちゃんと一緒に号泣しました。

ふたりは、同じ気持ちだったのです。

このセッションの後、はなちゃんはだんだん元気になりました。飼い主さんにも甘えてくるようになり、他の猫ちゃんとも眠るようになったそうです。

人もペットも、大切な存在を失くすと、心にポッカリ穴が空くのは同じ。

気持ちをわかり合うことの大切さを感じたセッションでした。

はなちゃん、元気になって良かったね。
きっと、つくしちゃんもお空で喜んでいるよ。

悲しみに暮れるはなちゃん

はなちゃん4才美人
最近元気がなく寝てばかり病院ではどこも悪くないストレスじゃないかと・・・
zzz・・・
ニャー
ハアー
ふむふむ
思いあたるのは一年前に亡くなったハチワレのつくしちゃんのことくらいしか・・・
つくしちゃん
でも一年も前のことだし・・・
はなちゃんに聞いてみましょうね
はなちゃんつくしちゃんがいなくなって悲しいね・・・
ニャー
ニャー
悲しい… 悲しい… 悲しい…
もしかしてこの気持ちはつくしちゃんを思って？
ズキン

うん
どこを探してもつくしがいないの
さみしい…
どこ?
どこ?
辛いね…
パン!
やっぱりそうだったのですね
実は私もつくしが忘れられなくて…
わあーーーん!!
パン!
うん…
その後はなちゃんはだんだん元気になりました
甘えたり
あら
スヤスヤ…
みんなと眠ったり…
スリ
よかったね!
つくしちゃん
よかったですね
人もペットも大切な存在を失くすと心にぽっかり穴が空くのは同じ
気持ちをわかり合うことの大切さを感じました

2 うちの子バカなの？ トイレが覚えられないハルちゃんのお話

ハルちゃんは、3才のチワワの女の子。

飼い主さんは、ハルちゃんがトイレシート以外のあちこちで、おしっこをしてしまうことに悩んでいらっしゃいました。

ウンチはできるのに、どうしておしっこだけできないの？

3才にもなって、ハルはトイレが覚えられないバカな子なのでしょうか？

セッションが始まると、すぐにそう言い始めたハルちゃんのママさん。

ハルちゃんは、目をウルウルしながら困った表情をしています。

ペットたちは、自分にとって都合の悪い、嫌なことを話されていることがわかるのです。

中には、「その件については黙秘します」とばかりに口をつぐんでしまうペットもいます。

早速ハルちゃんに、トイレのことを聞いてみました。

「ハルちゃん、どうしておしっこあちこちにしちゃうの？」

ハルちゃんは少し困ったように、

「だって……、だって………わかんなくなっちゃったんだもん！」

そう言いながら、自分のおしっこの匂いを嗅ぎながら、困っているハルちゃんの気持ちとイメージが私に伝わってきました。

ハルちゃんは、失敗したおしっこの匂いがあちこちから漂っていて、どこが本当のトイレかわからなくなってしまっていたのです。

そして失敗するたびにママに叱られ、後片付けをしているママが怖くてドキドキしていたのです。

ハルちゃんは、

「ママを笑顔にしたい。だから失敗したくないの。だけど、どうしていいかわからないの」

　そんな、切ない気持ちも教えてくれました。

「今までがんばってきたね、ママにハルちゃんの気持ち伝えるから待っててね」

　私はハルちゃんにそう伝えて、ママさんにハルちゃんとのやり取りを話しました。

「確かに、怒りながら片付けていました。まさかハルがそんなこと考えていたなんて……」

　ママさんは少し動揺していましたが、ハルちゃんの切ない気持ちが伝わったようでした。

「ハル、今まで怒ってばかりでごめんね」

と涙ながらに謝っていました。

　ハルちゃんにも、そんなママの気持ちが伝わったようで、みるみる安心した気持ちが私にも伝わってきました。

　このコミュニケーションで、ハルちゃんはトイレを匂いで覚えようとしていることがわかりました。

ものを覚える時、その子にその子によって覚え方が違います。

・場所や周囲の環境で記憶する子

・シートの感触で覚える子

・匂いで覚える子

その子なりの覚え方があって、だんだん慣れてくるとこれらの3つが重なって、しっかり覚えたという状態になるのです。

ハルちゃんは匂い優先で覚えようとしていたけれど、失敗が重なって混乱してしまい、どこがトイレかわからなくなっちゃったのですね。

私は、ハルちゃんママに改善策を2つ提案しました。

❶トイレ以外の匂いをできるだけ消してもらうこと

❷トイレの匂いは覚えるまで少しシートに残し、消さないようにしておく

ハルちゃんにもこの改善点を伝え、これからは匂いがするところですれば大丈夫だよと声をかけました。

さらに部屋の様子や、シートの感触でもトイレが覚えられるよ、

とも教えてあげました。

セッションから数日後、ママさんからお礼のメールをいただきました。

「なおさん、先日はペットコミュニケーションありがとうございました。

ハルがトイレのことであんなに困っていたなんて知るよしもなく、私は失敗に怒ってばかりいました。もうホントに大反省です。私は自分のことばかり考えていたんですね。

あの日以来、毎日ハルにいっぱい話しかけ、部屋中のお掃除をして匂いを消しました。もう一度、一からやり直す気持ちです。

ハルはオドオドしている感じがなくなり、明るくなりました。

問題のトイレも、失敗がほとんどなくなり、ほぼ完璧です。

もしもあの時ハルの気持ちを聞かなかったら、何年もあのままの状態が続いていたのかもしれません。

そう思うと恐ろしいです！

ペットコミュニケーションって素晴らしいですね。
今回は本当に、ありがとうございました。
ハルママより」
ペットコミュニケーションで問題の根本原因がわかり、絆を取り戻した例でした。
ハルちゃん、ママさん、よかったね。

トイレが覚えられない……ハルちゃん

まさか
ハルが
そんなこと
考えてたなんて
・・
うっ…
ハル
今まで
怒って
ばかりで
ごめんね！
ハルちゃん
安心してるね
ほ…
ほ…
ギュッ！
ハルちゃんママに
改善策を提案
①トイレの匂いは消す
シュ！
②覚えるまで
シートに残す
匂い
はい
やってみます！
数日後
いいこ
トイレもほとんど
失敗がなくなり
ハルは明るく
なりました！
先生、
ありがとうございました！
ハルちゃん、
ママさん、
よかったね！

3 いつも距離を置かれている気がする？懐いてくれないベル君のお話

ベル君は、6才のトイプードルの男の子。

ママがベル君に聞きたいのは、「いつも離れたところからジッと見ているんです。甘えてもくれないし、私のことがキライなんでしょうか？　ベルの気持ちが知りたい」ということでした。

時々、仲良くしたいのに甘えてくれなくて、冷たいと感じる塩対応の子がいます。元々クールな性質の子なら仕方ありませんが、ベル君は娘さんには甘えていますので、性質のせいではないようです。

早速、ベル君に聞いてみました。

「ベル君、ママにお姉ちゃんみたいに甘えないのはどうして？」

するとベル君は、「だってママには大好きな子がいて、ボクなんて好きじゃないんだよ。その子が大好きだから、ボクは2番目なんだって。だからボク、近づけないよ」と悲しそうに話してくれました。

ママには他に好きな子がいる。

でも、ベル君には同居犬はいません。1頭だけで、飼われているのです。どうしてこんなこと、言うのかしら？　不思議に思いながら、ママにそれを伝えると、ハッと驚いた表情になりました。

「それはたぶん……先代犬のマギーのことだと思います」

マギー君は、ベル君が来る前に飼っていたワンちゃん。

ママによると、ペットショップで衝撃的な出会いをし、亡くなった今も大好きで、忘れられない子なんだそうです。

亡きマギー君が、今もママを独占していて甘えることすらできない。本当は大好きなのに。

とても切ないベル君の気持ちが伝わってきました。

一方のママは、ベル君を可愛がったらマギー君が怒るんじゃないかと思って、「ベルは2番目だから」と、自分に言い聞かせるようにしていたそうです。

でも、本音はベル君を遠慮なく愛したくて、たまらなくなっていました。

お互いに大切に思っているのに、6年間も我慢してしまったママとベル君。

先代犬も大事だけれど、そのせいで今目の前にいる子に思いっきり気持ちを向けられないと、いつかその子との別れがきたら、後悔しそうです。

「いつかベル君とお別れが来た時、後悔しませんか?」

ママにそう伝えると、目の前のベル君への気持ちが涙となって溢れてきました。「愛したいけれど愛せない」そんな飼い主さんの気持ちをスッキリさせるために、私は1つの提案をしました。

「ママさん、マギー君はどう思っているのでしょう? マギー君の気持ちを聞いてみませんか?」

早速、マギー君のお写真をいただき、気持ちを聞いてみました。

マギー君は、「もう遠慮しなくていいよ。ボクはいっぱい愛してもらったよ。だから幸せだった。ベルにもいっぱい、愛を与えてあげて」

マギー君は、ママが我慢する姿を心配そうに見ていたのです。

マギー君の言葉は、飼い主さんの心を動かしました。

「もう遠慮するのはやめます。ベルに、一番大好きって伝えてください」

ママさんは決意したように、キッパリと言いました。

ママの言葉をベル君に伝えると、その目がうれしそうにキラッと輝きました。それから、ベル君は素直にママに甘えるようになったそうです。

先代犬に申し訳ない気がして……、そうおっしゃる飼い主さんは多いものです。きっとやきもちを焼くはず、そう思っていらっしゃるんですよね。

もしかしたら、焼いてほしいのかもしれません。その子にとっての一番でずっといたいのが、私たち飼い主の自然な気持ちでしょう。

でも、ペットたちは飼い主さんの幸せを一番願っています。
今を生きてほしいと願ってくれています。
時にセッションは、思わぬ方向につながることがあります。
亡くなった子に感謝しつつ、今、目の前にいる子への愛は惜しみなく注ぎたいですね。

おさんぽ
いく？
お待ちかねです

懐いてくれないベル君

ベル君
トイプードル
6才男の子
いつも離れたところから私を見ているんです……
甘えてくれないし……
私のことが嫌いなんでしょうか？
？
ズン…
ベル君
ママに甘えないのはどうして？
はっ!
だって
ママには大好きな子がいて
ボクなんて好きじゃないんだ!!
ボクは2番目だから…
近づけないよ…
先代犬のマギーのことだと思います
今も忘れられなくて……
ベルを可愛がったらマギーが怒るんじゃないかと思って……
でも本当はベルを愛したいんです……
マギー君
2番よ
しゅん…

マギー君に気持ちを聞いてみることにすると・・・
もう遠慮しなくていいよ！
ボクはいっぱい愛されて幸せだったよ
ベルにもいっぱいあげて！
ママありがとう
もう遠慮はやめます！ベルに一番大好きと伝えてください！
ギュ！
パチパチ
その後ベル君は素直に甘えるように
よかったね！
ママー！
ベル♡
ペットたちは飼い主さんの幸せを一番願っています

〃ペットコミュニケーション講座〃受講生が体験した奇跡

私は現在、「誰でもできるペットコミュニケーション」の講座を開催しています。

3カ月でペットコミュニケーションをマスターしていただく講座です。ご自分のペットとの会話を練習していくうちに、ペットたちにもどんどん変化が生じてきます。

「ママに気持ちがわかってもらえるの？」

「お話が通じるー!!」

「自分の気持ちをわかってくれて、会話にもなる！」

そんなことがわかりだすと、ペットたちはうれしくて目を輝かせ、話したくてうずうずしちゃう子もいます。

キラッキラの目、何か言いたげな仕草……。もう、想像しただけで、ゲキかわですよね（笑）。

わかることは、ペットたちも気持ちを理解してほしくてたまらなかった、ということです。

ここからは、3カ月マスタープログラムの中で、実際に受講生さんのペットに起きた事例をご紹介します。

1 来客に吠えまくるワンちゃんの本音

ケビ太君は、8才のワンちゃん。2頭の女の子のワンちゃんと一緒に暮らしています。

飼い主のゆりさんは、お部屋にペットカメラを設置していて、留守中の様子を時々見ています。

ケビ太君は、ゆりさんが出かけるとすぐ食卓テーブルの上に乗ったり、郵便配達や宅配トラックが来ると吠えて威嚇したりと、一日中、庭に出たり入ったりと大忙し。

ゆりさんは、そんな様子をカメラで見て「落ち着きのない怖がりな子だな……」といつもガッカリしていたそうです。

ところが、ペットコミュニケーションでその理由を聞いてみたら、「ボクが家を守る、この家は女の人ばかりだし、男の子のボクが守らないと！」そう言ってきたそうです。

ゆりさん家族は、ゆりさんを含めワンちゃんもみんな女性です。ケビ太君は、もともと怖がりさんでちょっと臆病なタイプの子。「みんなを守らなきゃ！」と言ってはいるものの、本心はビクビク怖くてたまりません。

自分を鼓舞《こぶ》するようにテーブルの上に乗り、気持ちを高め防衛体制をとっていることが、ゆりさんには伝わってきました。

「私たちをこんなにも守ろうとしてくれているんだ」

その健気な気持ちに心を打たれ、感動したゆりさんは、ぎゅっとケビ太君を抱きしめたそうです。

今までは、ケビ太君の行動を叱ることが多かったゆりさん。

このペットコミュニケーション以降、叱るのをやめて、声かけを「守ってくれてありがとう」に変えました。

すると、ケビ太君の様子が変わり始めました。

まず、テーブルには一切乗らなくなり、郵便屋さんや宅配トラックへの吠え方も、少しやわらかくなったそうです。

ゆりさんが何よりうれしかったのは、留守番中、ソファで寝ている回数が多くなったこと。安心して寝ている姿を見て、ゆりさんも安心できるようになりました。

今までは、「お留守番させてごめんね」と謝っていた自分にも気づき、それもやめようと思えるようになったそうです。

気持ちがわかり合う安心感は、留守番の様子も変えてしまうのですね。

2 ワンちゃんから話しかけられるようになったことにびっくり

ひろさんはトイプードルのモアちゃんと暮らしています。講座が始まって、ペットコミュニケーションの練習をするようになってから、モアちゃんがどんどん話しかけてくれるようになって、驚いたそうです。

それは態度でもはっきりわかるくらいで、シニア犬なのにとても元気になり、ひろさんのことを見つめることが多くなったそうです。

ひろさんは「今までこんなに私と話したがっていたんだ、わかってもらいたかったんだ」と気づいたそうです。そして「思い切って講座を受講してよかった」と感想をくださいました。

自分の気持ちをわかってもらえたうれしさと安心感は人間だけでなく、ペットたちも同じです。心と心がつながり合うことで、絆は深まりますね。

残念ながら、モアちゃんは講座中に虹の橋を渡りましたが、ひろさんは「最期に、『大好き』をいっぱい伝え合うことができ、コミュニケーションのおかげで感謝で見送ることができました」とお話ししてくださいました。

3 ペットとの会話、とっても楽しい!

受講生ののり子さんは、3才のパピヨン、アリちゃんとゆいちゃんのママさんです。

アリちゃんとゆいちゃんは、いつも2階にいます。キッチンは1階にあるので、のり子さんは階下へ降りることも多く、その度に2頭は階段ぎりぎりのところで「早く戻ってきて~」と吠えるのが日課だったそうです。

2頭でしつこく吠えるから、のり子さんは我慢できず、「うるさーい!!」と声をあげてしまうこともたびたびあったそうです。

そんなふうに大声で叱っても、2頭が鳴き止むことはなく、のり子さんは仕方なく用事をそそくさと済ませ、2階へ上がっていたそうです。

講座が始まって、アリちゃんとゆいちゃんにいろいろ質問したり、気持ちを受け取ったりしていくうちに、2頭の様子がだんだん変わってきました。

階下へ降りると最初は吠えるけれど、「待っててね〜」とお返事すると鳴き止むようになりました。

しばらくするとまた吠えだすのですが、「待っててね〜」というとまた鳴き止む。それをくり返していくうちに、だんだん吠えずに待つ時間が長くなったそうです。そんな変化に気づき、ママさんは「あ、ちゃんとコミュニケーションできているんだな」と思ったそうです。

初めは誰でも、通じているのかな？　できているのかな？　と疑いたくなる気持ちが出てきてしまいます。

それでも練習していると、だんだんペットたちの行動や仕草に変化が出てきて、「もしかして通じている？」とうれしくなる瞬間が起きてきます。

のり子さんは、「私にもペットコミュニケーションができている！　と確信が持てるようになりました。今では会話が楽しいです」と言ってくださいました。

こんなふうに、うれしい変化があるとペットたちがますます可愛くなっちゃいますね〜。

ペットコミュニケーションで起きた、さまざまな事例はいかがでしたか？

ペットの気持ちがわかることは、今までにない新しい解決方法につながります。

次章からは、ペットコミュニケーションへの理解をさらに深めていきましょう。

かわいいでしょ

ごきげんです

Chapter 1
ペット
コミュニケーションは
誰でもできる

本当に私にもできるの？
みんな、最初はそうやって
及び腰になるんです。
でもね、大丈夫。
特別な能力なんか、
いらないんですよ。

わーい♪

ペットコミュニケーション
ペットとわかり合うツール

大切なペットと意思疎通ができるのなら、
どんなに素敵でしょう。
本当にできるの？
限られた人しかできないんじゃない？
なんて、いろいろな不安や疑問が出てきて当然です。
この章では、ペットコミュニケーションのやり方を
優しく解説。
すぐにできる、ミニワークも準備しました。
さあ、ペットコミュニケーションへの第一歩、
ここからスタートです！

問題行動の理由を知りたい

ペットコミュニケーションの目指すところは、「ペットの気持ちがわかること」です。

これは、「ペットにも感情がある」ということが大前提となります。ペットにも、私たち人間と同じように感情があるのです。楽しい、うれしい、寂しい、悲しい、怒るなど、私たちと同じように感じているのです。

ペットコミュニケーションは、そのような彼らの気持ちを受け取っていくためのツールなのです。

そしてさらに言うと、「どうしてこんなことするの？」と思うような問題行動の理由を聞くこともできます。

ペットにしてほしくない行動ってありますよね。

●玄関チャイムに吠えっぱなしでうるさい
●他の犬に吠えて威嚇する、仲良くできない
●トイレがちゃんとできない
●寝ている時に触ると怒る、かみつく
●ご飯のムラ食い

などなど……。

いわゆる問題行動と言われるものも、その行動をするにはペットなりの理由があります。

そもそも問題行動って私たち人間にとっての問題で、彼らにとってはごく自然な行動の場合もあります。

生活スタイルの違う動物たちと一緒に暮らしているのですから、彼らには彼らの感じ方があるのは仕方がありません。

私たちと暮らすことで、ペットたちはどう感じているのか。

彼らの本音を聞いて、一緒に暮らす仲間として話し合いができたら、ペットともっと仲良くなれる、私はそんなふうに思うのです。

ペットコミュニケーションは、彼らの心を受け取り、わかり合うためのツールなのです。

テレパシーを使って会話する

冒頭でもお話ししたように、ペットコミュニケーションではテレパシーを使って会話をします。

自然界の動物たちは、本能的感覚のテレパシーを使ってやり取りします。

群れをまとめたり、危険を察知したり、餌場を見つけて移動したり。

私たちにわかるような言葉は発してないけれど、互いにテレパシーを使ってやり取りをしているんです。

私たち人間も動物なので、同じように本能的感覚であるテレパシー能力が備わっています。

ペットコミュニケーションは、これまでにない新しい能力を習

得するものではありません。

テレパシーと聞くと難しそうですが、実は私たち人間に本来備わっている能力なのです。

言葉のない太古の昔、私たちもテレパシーを使ってやり取りしていたと言われています。

やがてそこから言語が発達し、言葉でのコミュニケーションが主流となりました。

私たち人間は、言葉のやり取りを優先し、だんだんテレパシーを使わなくなってしまったのです。

言葉に頼り、使わなくなってしまったテレパシー。私たちは、いつしか心と心の会話をすることを忘れてしまったのかもしれません。

でもそんなテレパシーを知らない間に使っていた身近な例として、赤ちゃんの頃の両親とのコミュニケーションがあります。

赤ちゃんの時は、みんな使っていたテレパシー

生まれたての赤ちゃんは、もちろん話すことはできません。赤ちゃんの世界は非言語です。動物たちと同じですね。赤ちゃんは、泣いたり笑ったりして、お母さんに自分の要求を訴えます。

通じないなんて思っていないですよね。

ぎゃぁぎゃぁ泣いて、一生懸命お母さんやお父さんに自分のことをわかってもらおうとします。

- **お腹がすいたよー（ギャァ〜）**
- **お尻気持ち悪いよー（ギャァ〜）**
- **抱っこして〜（ギャァ〜）**

●眠たいよ～（ギャァ～）

お母さんはそれを受け取って、赤ちゃんのお世話をします。赤ちゃんは、自分の要求が叶うとご機嫌になって、ニコニコ満面の笑みを見せてくれます。世話をする大人も、うれしくなっちゃいますね。

言葉のない赤ちゃんとのコミュニケーション。新米お母さんは、あれこれお世話をしながら赤ちゃんとのコミュニケーションを図っていきます。

ベテランお母さんに至っては、泣いているだけで「眠たいのね」とわかるので、抱っこしてとんとん背中を叩いて安心させてあげます。

私たちは、たくさんお世話をしてもらって成長しました。

1才を過ぎる頃には、だんだん言葉を覚えてしゃべり始め、2～3歳になると自分の要求も言葉で伝えられるようになってきて、会話が成立していきます。その積み重ねで、いつしか会話でのやりとりが当たり前になり、赤ちゃんの時に使っていたテレパシーを使う機会がだんだん減ってしまいます。

6才くらいになると、理性的な脳が発達すると言われ、泣いて訴えるより言葉重視になっていきます。成長過程では、ある意味必要なことなのかもしれません。

赤ちゃんの時は、みんなが使っていたテレパシーは、そんな身近な能力なのです。

物は使わなくなると錆びついてしまいますが、テレパシーも同じように使わなければ錆びついてしまいます。

テレパシーを意識的に使うことで、錆は落とされ、磨くことができるのです。

知らない間に使っているテレパシー

使わなくなったと思われたテレパシー、実は生活の中で、「無意識」に使っています。

ペットとの暮らしや人とのやり取りの中で、気がつかないほど当たり前に使っているのです。

たとえばペットとの暮らしだったら、

●お散歩行きたいんだなー…

●おやつ欲しいのね

●病院キライだよね

●くっついて寝るの、大好きだよね

なんて、日々感じることありますね。

人とのやり取りでは、

- **今日は機嫌悪そう（良さそう）**
- **なんかいつもと違う？**
- **〇〇って言っているけれど、本心じゃない気がする**
- **なんか言いたそうなんだけれど……何かな？**

など、会話や行動の中に、それだけではない「何か」を感じることはありませんか？

顔が見えない電話でも、「今日はいつもと違うな」など、感じることってありますよね。

テレパシーは、そんな身近で何気なく受け取っているものなのです。

ペットコミュニケーションを習得していくには、テレパシーを

「特別なもの」とせず、私たちにとって身近な機能だと認識していくことが大切です。

テレパシーは、言いかえると相手を感じようとする「察するチカラ」とも言えます。

テレパシーを使ってみよう！

誰もに備わっている、本能的感覚のテレパシー。
では、ここでちょっとテレパシーのミニワークをしてみましょう。
2枚の写真を見てください。
写真に写っている2頭の犬は、同じような目線や表情、姿勢です。
2枚の写真をパッとみた時、何を感じますか？
そのあと1枚ずつじっくり見て、それぞれの違いを感じ取ってみてください。

テレパシーのミニワーク❶

2頭とも目が優しく口元も上がって、
一見すると笑顔、ご機嫌な感じですね。
次に、最初に見た時よりも、
1枚ずつよ〜く見てみてください。
同じ笑顔だけれど、
違いがあるとしたらどんな笑顔かな？

あなたの感じるままに、
受け取ってみてください。
もし、吹き出しのように
セリフまで浮かんだら、
それも受け取ってくださいね。

テレパシーのミニワーク❷

さて次はコチラ
2枚の猫ちゃんの画像です。
それぞれどんなものが
伝わってきますか？

テレパシーのミニワーク❸

次はコチラ。
コチラの2頭も伏せていて、
うわ目使いのところは同じですね。
2頭の違いはなんでしょう？
どんなものを受け取りますか？

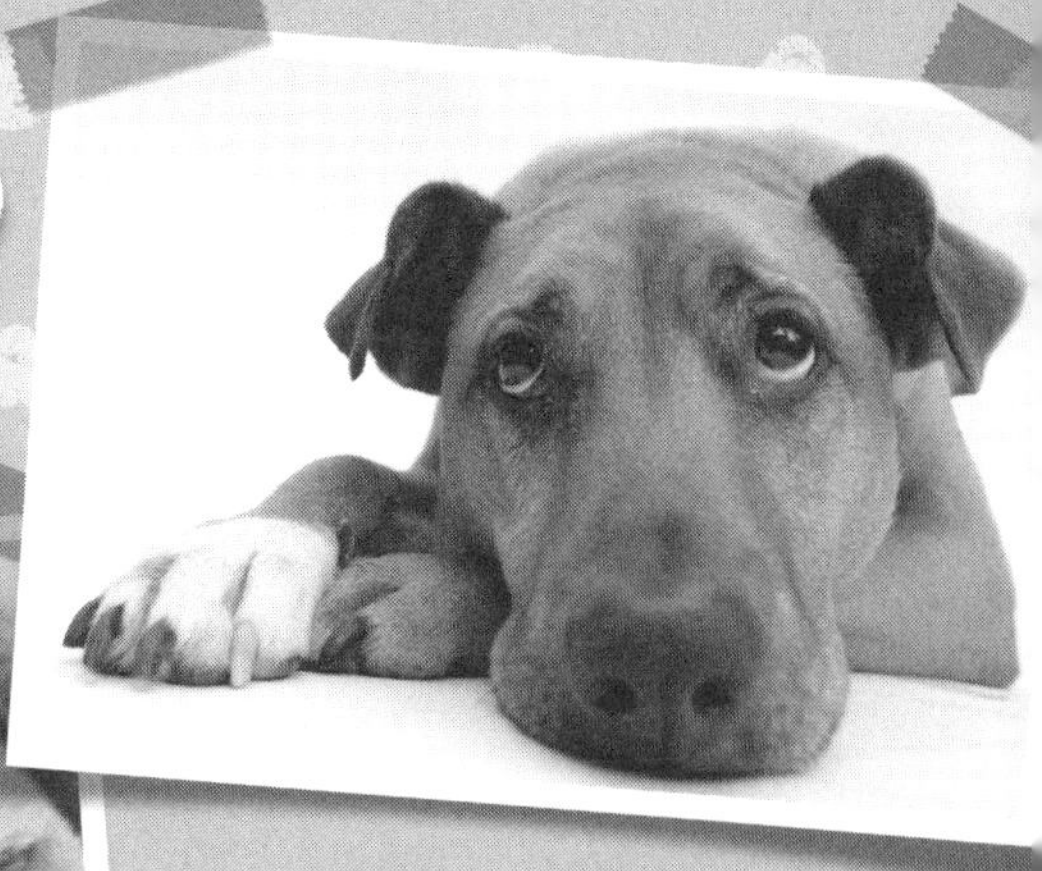

テレパシーのミニワークおまけ

さて次はコチラです。
オマケ（笑）。
とっても気持ちよさそうに寝てる〜。
見ているこっちまで、
思わず緩んでしまいますね〜。

さて、テレパシーのミニワークはいかがでしたでしょうか？

よ～く見てみると、「この子は今こんな感じ」とか「こんなこと言ってそう」など、情景や気持ちを、感じられたのではありませんか？

また、同じような表情や姿勢でも、発しているものが違うことに気づいたはずです。

目で見ているだけではない、その姿や表情から醸し出される何かを感じること、これがテレパシーなのです。

意外とカンタンでしょ？

ペットコミュニケーションは、こんなふうに「そんな気がする」など、漠然とだけれど感じ取ったものを受け取ることから始まります。

ペットと話すのはとってもカンタン

先ほどの画像を見て、「何も感じませんでした」「わかりませんでした」と思った方もいらっしゃるかもしれません。

もしかすると、その方の心の底には「これは特殊能力で、私にはできない」「私には無理」という思い込みが潜んでいる可能性があります。

思い当たる方……そう思っていませんか？

私はこれまでずっと、誰でも練習すればできるよ、とお伝えしてきましたが、それをなかなか信じてもらえませんでした。

「なおさんだから話せるんでしょ？」

「なおさんは子どもの頃からできたんですよね？」

「誰でもできるっていうけれど、ウソに決まっていますよね？」と、何度も同じことを言われてきました。

「なおさんだから……」という言葉、もう聞き飽きたくらいです(笑)。

しかもペットコミュニケーションと聞くと、「霊媒師」とか「霊能者」、はたまた「イタコ」と言ってくる人もいました。

私自身、子どもの頃に動物と会話した経験はありませんし、いわゆる霊が視えるなどの霊感はまったくありません。

笑っちゃうくらい「ない」です！

私も、特殊な能力がないと無理と思っていたところから練習したので、「無理だ」と言いたい人の気持ちはよくわかります。

そんな私だからこそ、皆さんにお伝えしたい。

特殊能力は必要ありません！

そう思っている限りテレパシーを使うことはどんどん難しく

なり、動物たちの声は受け取れないでしょう。

自分で、自分をできなくさせてしまっているのです。

ペットコミュニケーションは、言葉に頼らない心と心の会話です。

コツさえ摑んでしまえば、誰でも習得することができます。

言語を学ぶ時は、学校や塾など、それらを教えてくれるところで学びますよね。

または、独学で学ぶこともあるでしょう。

私はペットコミュニケーションを、独学で身につけました。

当時、ペットコミュニケーションを教えてくれるところはほとんどありませんでしたし、私自身も、その扉を叩く勇気がありませんでした。

でも、今はペットコミュニケーションを教えてくれるところはたくさんあるようです。

教える方がたくさんいるということは、誰にでもできるし、学べるということですね。

そして、ほとんどのコミュニケーターさんが、テレパシーは特殊能力ではない、と言っています。私だけが言っているわけではないんですよ。

私は独学だったので、習得するまでに時間がかかりました。

でも、そのおかげで学んだことがたくさんあり、それをまとめ上げて、たくさんの方に心と心の会話の素晴らしさをお伝えしたいと思うようになりました。

ペットコミュニケーションは、練習すれば誰でもできる手法です。

外国語をマスターするよりも、カンタンです。

なぜなら単語や文法など新しいものを習得するのではなく、本来備わっている感覚を磨いていくだけだからです。

自分の中にある「無理！　できない」「変な人に思われる！」という思い込みを外して、ペットコミュニケーションへの初めの一歩を踏み出してみてください。

それ気になる…

Chapter 1 まとめ

飼い主にとっては問題行動でも、ペットにはペットなりの理由があること、忘れないで！

テレパシーは難しくない！赤ちゃんの頃は誰でも使っていたんです！

ペットコミュニケーションは、外国語をマスターするよりもずっとカンタン！

Chapter 2
ペット
コミュニケーション
の準備

ペットコミュニケーションを
始める前に大事なのは準備です。
心がせかせかしてしまっていては、
大切なことを聞き逃してしまいます。
まずは、心を落ち着かせる
ところから。

ごきげん♪

ペットと話すために大切なこと

ここまでで、なんとなく
「自分にも、ペットコミュニケーションできるかも……」
と思い始めてきた方も、いらっしゃるかもしれませんね。
さて、ここから大切になるのは、〝心の静けさ〟です。
人間は、生きている限りどうしても
頭の中に雑念が浮かんでしまうものです。
そんな賑やかな頭の中を、
どうクリアにしていくか。
この章でみっちり学んでいきましょう！

頭の中、忙しくしていませんか？

ペットコミュニケーションを始める前に大切なのは、私たちの状態です。頭の中が忙しくては、何も感じることはできません。

あなたの頭の中はどうでしょう？

絶えず何かを考え、おしゃべりをしていませんか？

そんな状態だと、ペットと会話するのはちょっと大変です。たとえていうなら、大勢の人が一度に話している中で、たった一人の言うことを聞こうとするようなものです。

その声は、周りの騒音でかき消され、聞こうとすればするほど疲れ切ってしまいます。これでは何も受け取れず、嫌になってしまいますね。

ペットの気持ちを受け取る時は、静かな環境や落ち着いた自分になることをおすすめします。
頭の中のおしゃべりを鎮めるための方法はいくつかありますので
ご紹介しましょう。

頭の中のおしゃべりを鎮めるための方法

呼吸で落ち着く

呼吸は、心が落ち着く一番カンタンな方法です。

私の講座でも、ペットコミュニケーションを始める前に、呼吸から入ります。

目を閉じて、鼻から深く吸い込んでゆっくり長～く吐きだす。

頭の中のおしゃべりが止まらない時、知らないうちに呼吸は浅く速くなっています。呼吸が浅く速い時は、心も落ち着かず考えが止まることはありません。

目を閉じても、ついつい考えのほうに意識がいってしまい、呼吸を忘れがちになります。

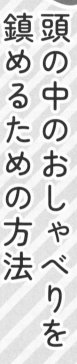

さらに言うと、呼吸は心と直結しています。

よく慌てた時、パニックになった時、まずは深呼吸しましょうと言いますよね。ストレスによる過呼吸も、吐くことができなくなっている状態なのです。

心を早く落ち着かせたい時は呼吸から、これはコミュニケーションしていく時には欠かせない方法です。

では、実際どんな呼吸がいいのでしょう。カンタンにご紹介しますね。

❶ 軽く目を閉じます
目から入る刺激を、あまり入れないようにします

❷ 息を、鼻から大きく、深く吸い込んで、
ゆっくり長〜く吐きます

とくに、息を吐き切ることに重点をおいてみてください。吐き切ったら、意識しなくても、自然に吸い込むようになります。

深い呼吸を意識しよう！

頭の中のノイズに出ていってもらうのに、深い呼吸がとっても役に立ちます。簡単なので、早速やってみましょう。

❶ 体の力を抜いて、軽く目を閉じましょう。
視覚からの刺激がないほうが、集中できます。

❷ 鼻から大きく、深く吸い込んで、長くゆっくり吐く、をくり返します。
しっかり息を吐き切ることが大切。

吸い込んだ息や吐く息によって、胸が膨らんだり萎んだりするのを、ゆっくり感じながら呼吸をします。

これを呼吸観察といいます。

慣れない方は、深く吸えない、長く吐けない、となりがちです。呼吸が苦手です、なんて方もいらっしゃいます。

ここでは無理はせず、自分が苦しくならない程度の呼吸の深さ、速度に調整してください。これも慣れですから、そのうち深い呼吸が体に馴染んでできるようになっていきます。

目安としては5で吸って10で吐くことから始めてみてください。吸う息より、吐く息を長くするのです。10で吐くのが苦しかったら、まずは5以上で吐いてみようなど、できるところからチャレンジしてください。

呼吸に意識を向けることで、だんだん頭のおしゃべりが気にならなくなっていくはずです。上達してくると、10で吸って20以上で吐く、さらにそれ以上にもなっていき、呼吸と呼吸の間が空くようにまでなっていきます。

1分間瞑想

先ほどの呼吸を続けながら、1分間だけゆっくり座ってみます。イスに腰掛けてもいいし、あぐらをかいて座ってもどちらでも大丈夫です。正座は痺れてしまいますので、長く座るには適していませんね。

お腹を前に突き出すようにして、少しだけ背筋を伸ばして座りましょう。

骨盤が安定します。安定した骨盤から伸びた背骨に首をちょこんと乗せるイメージで安定させます。上に反りすぎないように顎を少し引いてくださいね。

身体の力を抜いても支えられる姿勢をとります。

これで、呼吸が入りやすい姿勢のできあがりです。

猫背では呼吸は入りにくいので、姿勢を整えていきましょう。

1分間ができるようになったら、3分間にチャレンジ。

少しずつ時間を増やして、深くて長～い呼吸がもたらす醍醐味

1分間瞑想のポイント

「瞑想」って難しいように感じるかもしれませんが、まずは1分間やってみましょう！　できるようになったら、少しずつ時間を長くしていきます。

骨盤を安定させ、
力を抜き、
少し顎を引く。

猫背にならないように。
1分間ができたら
3分間にチャレンジしよう！

を感じてみてください。

頭のノイズを止める

1分間瞑想をしていると、頭の中のおしゃべりが多いことに気づくでしょう。

- **今日の晩御飯何にしようかな**
- **これが終わったらあれやって、これやって……**
- **明日のために、これもしとかなきゃ**
- **〇〇さんに言われた、あの一言が気になる**

頭の中のおしゃべりは、座れば座るほど出てきちゃって止まらない！　なんにも効果ないじゃん！　なんて、思ってしまうかもしれません。

私は、インドへ行った時、初めて瞑想をやりました。最初はまったくできませんでした。呼吸のことなんてすぐ忘れてしまい、頭の中はぐるぐる迷想状態。何も集中できませんでした。

こんなの何の効果があるのよ！

私はペットロスを癒やしたいのに!!

愛犬と話したくてきたのよ!!

と逆に腹を立てていました（笑）。

こんな気持ちでは、落ち着くわけがありません。そんな時、ガイドさんからアドバイスをもらいました。

- **焦らないで、座り続けましょう**
- **呼吸から意識が外れたら、また戻ればいいんです**
- **どんな考えも、流れる雲のように流してください**
- **浮かんだ考えをつかまえてしまうと、その中に入ってしまいます。ぼーっと流れる雲を見送るように、考えを見送ってください**

このアドバイスを聞いた時、「そっか、考えが出てくることを私はやめようとしていたんだ」と気づいたのです。

やめよう、やめようとすると、かえって止まらなくなる。

大好きな甘いもの、お酒やタバコ、をやめようとすると、欲しくてたまらなくなりますよね。考えもそれと同じ。頭の中の独り言が多い人は、独り言が大好きなんです。だから、やめよう！と思えば思うほど、どんどんはっきり出てきてしまうのです。

瞑想は、考えることをやめること、そう思っている方が多いと思います。

以前、瞑想を教えていた時、「自分は雑念だらけだから……」という声をよく聞きました。

思考型の私は、考えることが大好き。納得がいかないことがあると、トコトン突き詰めて考えてしまうところがあります。

人間は、1日に6万回思考していると言われます。隙あらば、考えてしまう生き物なのです。

そんな6万回の思考を、やめようともがいても無理な話です。

やめようとするよりも、流すほうがいい。それなら、できそうな気がしませんか？

頭に浮かぶ考えを、良い悪いのジャッジをせず、ただ流して呼吸に意識を向けて、呼吸を感じる。そうしていくうちに、だんだん考えを流すという感覚がわかるようになり、落ち着いて座れるようになりました。

やがて頭の中は静まり、時間の感覚も薄らぎ、気づいたら1時間なんて時もありました。

呼吸を感じることができるようになると、集中力も身に付き、ペットコミュニケーションにとても役立ちます。

心が落ち着くアイテムを使う

ペットコミュニケーションは、ざわざわしている心の状態では受け取りにくいものです。

心を落ち着けるために、呼吸を整えるだけでなく、さまざまなアイテムを使うのも効果的。

私はこれまで、次のものを使用してきました。

ヒーリングミュージック

瞑想の時や、寝っ転がって体の力を抜いて聴きました。

コツは、音が自分の細胞に染み渡るように聴くこと。耳ではなく、体で聴くという感じです。体の感覚に意識を向けて、細胞の一つ一つに広がっていくように、イメージしながら聴いていきます。

優しい音色が身体中に染み渡って、すごく気持ちいいですよ。心も解放される感じです。

クリスタルなどの石の波動

クリスタルなどの鉱物は、それ自体が波動を持っています。波動は、石によって違います。石を握ったり、近くに置いたりして、石の持っているパワーを取り入れてみてください。種類によって波動が違いますので、ショップに出かけたり詳しい方に聞いたりして、自分にピッタリくるものを手に入れてもいいですね。

私はあまりよく知らなかったので、詳しい友人にアドバイスをもらい購入していました。鉱石を扱った書籍などもありますので、自分で調べてみるのもいいかもしれません。

花や植物のパワー

花や植物は、見ているだけでも落ち着きますね。お気に入りを見つけて、お世話してみてください。

心が落ち着くばかりでなく、植物の声も聞こえるようになるかもしれません。

植物は、ヒーリングパワーが強いそうです。

種類によってエネルギーが違うので、それも感じながらお世話してあげると、ペットコミュニケーションの感覚にもつながると思います。

私も自然が大好きですし、観葉植物など、部屋に置いています。

ハーブティ

植物つながりでいえばハーブティはおすすめです。

カフェインの心配もありませんし、心を落ち着かせてくれるものが多いですね。

飲んだ時、口の中や体に広がる感覚を味わいながら飲むのをおすすめします。

アロマオイルやフラワーエッセンス

こちらも、植物の恵みがもたらしてくれるパワーです。

アロマオイルは香りだけでなく、メディカルアロマといって体にいい影響をもたらしてくれるものもあります。

私の姉はアロマセラピストだったのですが、子どもが急にお腹が痛くなった時にアロマオイルをお腹に優しくすり込みながら使ったら、たった数分で症状が改善したのをみたことがあります。

香りの力と薬効が皮膚から浸透して、お母さんのような優しい手で触れてもらったことでリラックスしたのだと思います。

あくまで私の場合ですが、喘息で呼吸困難の時に、姉に塗ってもらい助かったことがありました。

フラワーエッセンスは、植物のエネルギーをお水に転写させたものです。

花言葉があるようにお花のエネルギーにも種類によって効能があります。

アロマオイルのような香りはありませんが、心を落ち着けたりトラウマを解消したりしてくれます。

ペットにも、とても効果的なんですよ。

我が家のわんこがカミナリに弱かったので、レスキューエッセンスをよく使っていました。カミナリが近づいてくると急に落ち着かなくなり、ハァハァとヨダレを垂らしてあっちこっちウロウロして可哀想でたまりませんでした。

レスキューレメディを使うとだんだん落ち着いてきて、ヨダレが止まり伏せていられるまでになります。

カミナリが鳴ると、私に「あれちょうだい」って自分で言ってくるようになりました。わんこも、効果を実感していたんですね。

その他、車酔いにも使っていました。人にもペットにも、安心して使えるのがフラワーエッセンスです。

心が落ち着くアイテム5選!!

ここに紹介した心が落ち着くアイテム以外でも、あなたが落ち着くと思うものを上手に取り入れてくださいね！

さてここまで、心を落ち着かせるための方法を、いくつかご紹介しました。自分でも、取り入れやすいものを使ってみてください。

ペットコミュニケーションは、自分の心が落ち着けば落ち着くほど、受け取りやすくなります。

そしてコミュニケーションだけでなく直感力や集中力も高まり、人生を変えることにもつながっていきます。

前述した通り、私はペットロスがひどすぎて、インドの聖者の元へ行きました。

そこでは21日間、参加者同士の会話を禁止されていました。話ができるのは、メイドさんやガイドさんのみです。

200人もの日本人がいるのに、一切のおしゃべりが禁じられていました。もちろん食事中もです。

最初はとても苦しくて不安になりましたが、やがて自分の心の声に気づくようになっていきました。

何気なく周りを見て人と比べている自分に気づいたり、心の中で不平不満を言っていたり、想像以上に、言葉によるコミュニケーションに頼っていたことにも気づきました。

しゃべれないいって苦しい、誰かとわかち合いたい、聞いてほしい、という私の内側にある、承認欲求がとめどなく溢れてきたのです。

21日間のコースでは意識のこと、心の在り方のことなどを学び、瞑想や黙想などが日常になりました。

言葉を発することをやめたら、自分の内側の声に集中できるようになり、自分自身との対話が始まったのです。

言葉に頼らないコミュニケーション。

これこそが、ペットコミュニケーションと同じだったのですね。

話はそれましたが、心を落ちつかせることの大切さ、わかっていただけたでしょうか。

さて、ペットコミュニケーションの準備はできました。

次章からは、いよいよペットコミュニケーションにトライしていきましょう!

Chapter 2 まとめ

頭の中はノイズだらけ。
忙しい頭の中を鎮めることに
専念しましょう！

呼吸観察と瞑想、
まずはこの2つにチャレジ。
少しずつ、できる時間を
長くします。焦りは禁物です！

心が落ち着くアイテムに、
手助けしてもらいながら、
ペットコミュニケーションの準備を
進めていきましょう！

Photo Gallery

いつ見ても、何度見ても可愛いペット。
ペットコミュニケーションを楽しんだ、可愛いお友達を紹介します！

そっと隠れていました

ハスキー三兄弟！

見つかったニャ

般若みたいな顔だけど、怖くないよ！ww

ごきげんでお散歩

ねむい……
ねむいのです

泥とか砂とか
はねてるけど、
気にしなーい♪

寝る子は育つ

じぃーっと待ってます

すねてないよ。
別にすねてないよ

Chapter 3
実践！ペットコミュニケーション

さあ、いよいよ、
ペットコミュニケーションのお時間！
どんなお話ができるかな？
どんなことを考えているかな？
ワクワクが止まりません！

ぐーすか

ペットコミュニケーションにトライ！

さて、ここまでペットコミュニケーションの事例と、
ペットコミュニケーションへの準備について、
ご紹介してきました。
ここからは、早速ペットコミュニケーションの
実践をしていきましょう。
心を落ち着けて、ポジティブな気持ちと
深い呼吸を忘れずに。
きっと、ペットとの会話を楽しむことができるはず！

対面と遠隔でのやり方

ペットコミュニケーションには、2通りあります。

ペットを目の前にして会話をする「対面ペットコミュニケーション」と、離れたところから画像などで行う「遠隔ペットコミュニケーション」です。

対面ペットコミュニケーションのほうがカンタンそう、と思われるかもしれませんが、表情や仕草など視覚情報が多く、先入観や思い込みが入りやすくなります。対面ペットコミュニケーションは、少し上級編と言えるかもしれません。

私のスクールでは、ペットを見ずに目を閉じて、遠隔でのコミュニケーションで練習していただいています。

気が散らないようにペットのいない場所か、別の部屋でやってみるといいでしょう。

同じ部屋でペットコミュニケーションをしてもいいのですが、静かに眠っていたはずのペットが、コミュニケーションが始まった途端、急に起きだして、膝の上に乗ってきて意識が途切れてしまった、などの声をよく聞きます。

ずっと寝ていてくれていたらいいのですが、話しかけられたら起き出してしまうペットは多いのです。

起き出してしまうということは、通じているということになるのですが、途切れて戻れなくなってしまっては元も子もありません。

ペットたちも、そのうちコツが摑めてくると寝たままおしゃべりしてくれるようになりますので、最初は違う部屋でトライしてみるといいでしょう。

ペットコミュニケーションの型を使って

さて、具体的なやり方を説明しますね。

あなたは目を閉じて、ご自分のペットの姿がイメージできますか？

ほとんどの方は、普段目にしている表情やしぐさなど、その姿が浮かんでくるのではないでしょうか？

浮かんできたそのイメージを使い、コミュニケーションしていきます。

イメージできない、薄ぼんやりしていて大丈夫かな？　と思われた方は、スマホの画像などを見て、目に焼き付けてから行ってみてください。

コミュニケーションは、完全にイメージの中でします。

私の講座では、「ペットコミュニケーションの型」という流れで練習していただいています。

このコミュニケーションの型は、とてもシンプルに作っていて、一番大事な流れだけをチョイスしています。ここからはその流れに沿って説明していきましょう。

ペットコミュニケーションの型

1. 質問を決めてください
2. 深呼吸をします
3. ペットを抱きしめて
お腹に入れていくイメージをします
4. 挨拶をします
5. 質問をします
（イメージをつけてあげるとわかりやすいです）
6. 伝わってくることに意識を向け
答えを受け取ります

ステップ1　ペットへの質問を決める

まず、ペットへの質問を決めましょう。

最初は、ペットが返事しやすい質問にしてみましょう。答えが予想できてもいいカンタンな質問からしてみましょう。

飼い主さんの多くは、最初から「問題について」聞きたがる傾向があります。

どんなことを聞いてもいいのですが、もしかしたらその質問はペットにとって返事がしにくいものかもしれません。日頃から叱られている内容なら、答えたくても叱られそうで怖いなあ、なんて思ってしまうかもしれませんね。

問題について聞きたい時は、答えやすいように優しい気持ちで聞いてみてください。

「どうしてしちゃうのかな？　教えてね」など、怒った気持ちで、問い詰めないよう気をつけましょう。ペットも私たち人間と同じで、都合の悪いことは答えたくないと、シラを切ることもあるのです。

そして質問と一緒にイメージもつけると、ペットに伝わりやすくなります。

「ご飯は好き?」と聞く時は、食べている様子や、食器にご飯が入っているところなどをイメージしながら聞きます。

「言葉よりイメージ優先」と考えてみてください。

「ドライブは好き?」と聞きたい時は、車に乗っているイメージも一緒に送ります。その時に落ち着かない様子なら、その行動もイメージして「どうしてこうなっちゃうの?」など言葉を足してみます。

ペットコミュニケーションは、聞き方によって答えを引き出すことができます。言葉はできるだけシンプルに、わかりやすいイメージを添えて伝えましょう。

ステップ2　深呼吸で心を落ち着ける

ペットコミュニケーションは、静かな場所で行いましょう。横になると、寝てしまう可能性がありますので座ってください。

目を閉じ、気持ちを落ち着けて、深い呼吸をゆっくり行います。息を吐くたびに緊張感が抜けていき、心が静かになっていくのをイメージしましょう。

ステップ3　ペットを抱きしめてお腹に入れるイメージをする

心が静まってきたら、ペットの画像を見ます。

自分のペットのイメージが浮かぶなら、目を閉じたまま思い出します。名前を呼んで、お膝の上に向かい合って座っているイメージをしましょう。身体の大きいペットは、お膝に乗るサイズに変えちゃってください。

両手を背中に回して、優しく包み込むようにします。

その時、できたらお膝に乗っている重さや両手に伝わってくる感覚を抱いてみてください。

次に、自分のお腹の中に入れるイメージをします。

背中に回した両手でペットを引き寄せ、自分のお腹の中に迎え入れましょう。

「大丈夫だよ」「お話ししようね」など、声をかけながら一つになっていくようなイメージで迎え入れてあげてください。

ペットコミュニケーションスクールでは、お腹の中にペットを入れる「胎内コミュニケーション」を取り入れています。

お母さんのお腹の中のような包み込まれた安心感、安定感の中でコミュニケーションすることができます。

ステップ4 挨拶をする

お腹の中に入ったとイメージできたら、名前を呼んで挨拶しましょう。

自分のペットでも、挨拶すると緊張感もとれ、ペットコミュニケーションしやすくなります。

ペットを大切な存在として、丁寧に優しく扱うことが大事です。

ペットコミュニケーションをする許可をもらうように、挨拶していきましょう。

「私とお話ししようね」「質問するから答えてね」など声をかけ

てあげてください。

ステップ5　話しかけ、質問する

最初に決めた質問を、イメージとともにしてみましょう。

言葉はカンタンにシンプルにイメージ優先で。

ステップ6　答えを受け取り、会話する

質問をしたら、答えを受け取ろうと意識してください。

自分の中をまっさらにして、何が伝わってくるんだろう？　と全身の感覚をオープンにします。

身体に何か感じるかもしれません。

感情が伝わってくるかも。

言葉や色、イメージが見えるかもしれません。

温かい感じとか、冷たい感じとか、感覚だけで受け取ることもあります。

受け取るコツは、

●最初に伝わってきたものを見逃さない
●なんとなくそんな気がする、というぼんやりしたものに気づく

ということです。

ペットコミュニケーションというと、人との会話のように声が聞こえてくるのではないかと思いがちですが、ペットコミュニケーションで伝わってくるものはちょっと違います。

たとえば、家族や友人と会話した時のことを思い出してください。その時の言葉は、耳では聞こえませんね。頭の中で言葉を思い出すなど、どこからか湧いてくる感じですよね。

ペットの言葉も、それと似ています。

だんだん慣れてくると言葉に抑揚がついたり、声のトーンがわかったりします。

うっすら、ぼんやり、なんとなくそんな気がする……ハッキリ確かな感じじゃないかもしれません。でも、最初に抱いた感覚を大事にして受け取ってみてください。
ステップ5と6をくり返して、会話をしていきましょう。
最初はカンタンな会話から始めてみましょう。

「ご飯好き?」

「うん、好きだよ」(好意的な感触)

「よかったー、今夜も食べようね」

「うん! 大盛りにして!」

「え~! 太っちゃうよ~(笑)。今夜だけね!」

――なんて、カンタンな会話でOKです。

ステップ7　感謝して会話を終了する

会話が終わる時は、話してくれたことへの感謝を伝えてください。

「お話ししてくれてありがとう！　またしようね」

など、会話が楽しいという印象を持ってくれると、今後もペットコミュニケーションしやすくなります。

会話が終了したら、愛と感謝の気持ちとともに、お腹から出してお膝の上に戻しましょう。

これで、ペットコミュニケーションのステップは終わりです。

いかがでしたか？

心を落ち着けることができる部屋で、ペットコミュニケーションにトライしてみてください。

ペットコミュニケーション習得の3つのコツ

さて、ここからはペットコミュニケーションを確実に習得するためのコツを伝授します。

ぜひ、コツを摑んでペットコミュニケーションの習得を目指してみてください。

1 練習あるのみ

習得に、練習は不可欠です。練習量で決まると言っても過言ではありません。

今まで使ってこなかった錆びついた感覚を使うのですから、最初はぼんやりしているなど、伝わってくるものも少ないかもしれません。

この錆を落とす一番いい方法は、使ってあげること。つまり、練習が錆を落としてくれるのです。

でも、練習は一人だと長続きしないことが多いですよね。そのうち、私にはできないと諦めてしまうことも少なくありません。

そんな時は、仲間と練習するのがおすすめです。

私の講座でも、みんなで練習する機会を作っています。ペットコミュニケーションしたものを、みんなとシェアすることで答え合わせができます。

また、ペットの気持ちもいろいろな側面を持っています。

他の人と違うことを受け取ったとしても、それもまたペットの気持ちの一部分です。

違いの中にその子らしさが見えてきたり、時にしんみりするような複雑な心境に気づいたりすることもあります。

自分だけで練習するより、より早く、楽しく習得できると思います。

2 他人と比べない

仲間と練習し始めると、周りと比べてしまいます。

「あの人はすごくできる」

「私はまだぼんやりしている」

など、練習する機会は増えても、周りと比べてしまうと焦りが出てしまいます。

こうなるとペットコミュニケーションが、楽しくなくなってしまいます。楽しくないと伸びませんよね。

焦らずに、ペットとの会話を楽しむつもりで練習していきましょう。

3 自分の価値観・主観を外す

ペットと会話する時に、自分の価値観・主観が強いと会話しにくくなります。

価値観・主観とは、「○○であるべき」とか「普通○○でしょ」という思い込みのようなものです。

会話のたびに、「それは違う」とか「こうあるべきだよ」という押しつけのようなものを感じると、会話する気が起きなくなりませんか？

ペットも同じです。

黙ったままになってしまい、会話が成立しなくなってきます。

まずはペットの気持ちや言い分を、優先的に聞いてみましょう。

何を感じても「なるほど～」と、ふんわりした気持ちで、ペットコミュニケーションすることも大切なポイントです。

相手に嫌がられては、コミュニケーションは続きません。

「これ、変えてほしい！」

「迷惑なんだけど！」

困った問題の時ほど、自分の主張が強く出やすいので気をつけてくださいね。

価値観や主観を外すということは、自分自身にとっても生きやすくなるコツだったりします。

コミュニケーションとは、相互関係で成り立つものでペットとも同じ。

ペットが相手だと、つい飼い主として上位にいなければ！　と思いがちです。

ペットコミュニケーションにおいては、大親友になるようなイメージで関係性を作ってみてください。

こんな時どうしたらいいの？ ペットコミュニケーションQ&A

ペットコミュニケーションをしていると「こんな時どうしたらいいの？」というような質問をよくいただきます。
その中から、よくある質問を3つご紹介しましょう。

Q1 何も伝わってきません

A 深呼吸して落ち着いてから、もう一度質問してみましょう。

解説

質問したけれど何も伝わってこない……。
返事を待っているのだけれど、何も感じられない……。
こんな時、不安になりますよね。

私ってやっぱりダメなんだ。

能力ないんだわ。

どうしよう、わかんない。

——頭の中がぐるぐるしちゃいます。

そうなると、全然違うことが頭をよぎりだし、集中力はガタ落ち。伝わってこない、何も感じられないって、ガッカリしますよね。

そんな時は、深呼吸して落ち着きましょう！　焦りは禁物です。

最初だからわからなくて当然、くらいにリラックスしましょう。

私も最初はわからなかったし、大丈夫！

伝わってこないのは、もしかしたらペットが何も言ってないのかもしれません。質問の意味が理解できてなくて困っているのかもしれないし、なんて答えようかなって考えているのかも。

ペットの性格によっては、じっくり考えて返事をする子もいます。

もしかしたら、お互いの性質の違いで会話のペースが噛み合わないのかもしれません。

せっかちな方は、返事を待てない！　なんてこともあります。

深呼吸して落ち着いてから、もう一度質問してみましょう。

リラックスはとても大切なポイントです。

Q2 会話が続きません

A 「大丈夫、ちゃんと会話できるよ」と、落ち着いて自分に言ってあげてください。

解説

これもよくある質問です。

人と話す時はあんなにしゃべれるのに、どうしてペットの時はできなくなるのでしょう。

それは、私たちの中に「ペットと会話できる」という概念が少ないからです。

ペットと会話するなんてムリでしょ！　と思ってきたために、心の中にペットとスムーズに会話しているイメージが足りないの

です。

まるで、大好きなアイドルを目の前にして、「なんでも話していいよ」と言われた時に、固まってしまうようなものかもしれません。

「まさか、話ができるなんてほんと？」

そんな気持ちが邪魔をして、会話にたどり着けません。

「大丈夫、ちゃんと会話できるよ」と落ち着いて自分に言ってあげてください。

できないと思うと、できなくなるのです。慣れてくれば、会話もスムーズになります。

Q3 私が想像で作っちゃっている気がするのですが……？

A 想像かな？　と思うことも、ペットコミュニケーションのうち、と考えてください。

解説

これも、ほとんどの人が最初に思うことです。

一緒に生活していると、なんとなくわかっていることとって多いですよね。

●お散歩は好き

●このおやつを見せるとテンションが上がる

●おもちゃはこれがお気に入り

などなど、見ていればわかることって、たくさんありますよね。だから質問しても答えを予想できるし、それがそのまま伝わってくるので「私が想像で作っちゃってる?」と言いたくなるのです。

でもね、今まで感じてきたこと、これ自体もペットコミュニケーションなのです。

見ていたらわかるって思うけれど、その〝見ている〟は、ペットの感情まで〝観ている〟ということです。行動や表情の背後に醸し出される、ペットの気持ちも一緒に受け取っているのですね。この段階ですでに、ペットコミュニケーションができているね、って私は思います(笑)。

だから、想像のようなものもペットコミュニケーションのうち、と思ってください。ここからさらに深めていけばいいのです。

たとえば、

お散歩が好き

←お散歩の何が好きなの？

←●いつもの道が好き

●草の匂いを嗅ぐのが好き

●外が好き

●一緒に歩くのが好き

など、好きなところを教えてくれるでしょう。

想像のコミュニケーションを超えるのは、具体的にしていくことがおすすめです。

おまけのQ&A

Q
ペットコミュニケーションができるようになると、いろいろな動物たちの声がひっきりなしに聞こえちゃって、外に出られなくなりませんか?

A
大丈夫です! そんなことはないので安心してください。
もし聞こえたとしても、人混みの中での会話のように耳を傾けなければ何も影響されません。怖がらなくても大丈夫ですよ。

ペットコミュニケーションで気をつけたいこと

ペットコミュニケーションを実践するにあたって、気をつけてほしいことがいくつかあります。ここでは、注意点についてお話しします。

1 ペットコミュニケーションは、飼い主さんの許可を得よう

この本は、自分のペットと話してほしいなと思って書いていますが、ペットコミュニケーションができるようになると、お散歩仲間のワンちゃんや、外で見かけるネコちゃんなど、動物たちと話をしたくなってきます。

もしかしたら、散歩中見かけたペットから受け取った声を飼い

主さんに言いたくなっちゃうかもしれません。でも、それはダメです。

ペットコミュニケーションは飼い主さんのOKをいただいてからするようにしてください。

勝手にペットコミュニケーションをして受け取ったものを、突然飼い主さんに言うのは、失礼にあたります。怒り出す人もいるかもしれません。

ペットの気持ちを聞くことは楽しいのですが、必ず飼い主さんの許可を得てしてください。

2 体調が悪い時は、獣医さんへ行こう

ペットコミュニケーションでは、体調についても相談されることがあります。

体調の悪さを隠したがるペットは意外に多いもの。

ペットコミュニケーションの結果で獣医さんへ行くか行かない

かを判断するのではなく、体調が悪そうな時は、まず獣医さんへ行ってください。

ペットコミュニケーションは、その後でもいいでしょう。

3 愛と尊敬をもってペットコミュニケーションしよう

ペットコミュニケーションの目的は、ペットの気持ちを聴くことですが、そこには、思いやりがとても大切になります。愛と尊敬をもってペットコミュニケーションしてください。

もし、お友達や知り合いのペットとコミュニケーションするようなことになった場合は、コミュニケーションで知り得た内容は、絶対に口外しないなど、配慮をしてください。

Chapter 3 まとめ

対面にするか、遠隔にするかは、状況を見て。コミュニケーションの型に沿ってペットと自分のペースで進めましょう。

習得のコツは、練習すること、他人と比べないこと、自分の価値観・主観を外すことです。ペットと大親友になるようなイメージが大切。

ペットコミュニケーションでは、飼い主さんの許可を得ること、体調に関してはまず獣医さんへ行くこと、愛と尊敬を持って接することが大切。

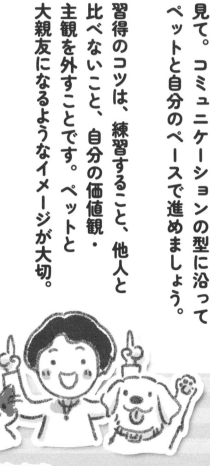

Photo Gallery

寝ても覚めても、ペットが大好き！
可愛いペットの表情をチェック！

ごきげんなのは、
気持ちがいいからです

笑顔！

哀愁漂う背中……

諸行無常……

まどろみ……

窓辺が好き……
眠いのでほっといて

やってしまったか……

あのね、
気がついたらね、
こうなってたの……
わざとじゃないよ？

むにゃむにゃ……

ぐーぐー

Chapter 4
ペット コミュニケーション がもたらす未来

大好きなペットの心がわかる未来。
想像してみてください。
とっても素敵ですよね。
ペットコミュニケーションができたら
そんな優しくて幸せな未来が
実現可能なのです。

なにか？
Surface

ペットコミュニケーションの効果は多岐にわたる

この章では、
ペットコミュニケーションができると
どんな未来になるのかを
お伝えしたいなと思います。
ペットコミュニケーションがもたらすものは、
ペットとの関係だけではありません。
思いもかけないところに
コミュニケーション効果がでてきます。
なんだかワクワクしませんか？

ペットも会話したがっている

ペットコミュニケーションをしていると、ペットも飼い主さんとの会話を楽しんでいるんだな、と感じる瞬間がよくあります。

私のサロンに来てくれたペットたちは、私と会話する時は私の話を聞いている態度を見せますし、その会話を飼い主さんに伝えている時は、飼い主さんのほうに顔や体を向けて会話にあった行動を見せてくれます。

その様子は、飼い主さんとペットと私の三者で話していることがわかる態度なのです。話題によってその態度や表情が変わるので、見ていると可愛くて思わず笑ってしまいます。

飼い主さんも、「今そう言っていましたよね！」とはっきりわかるくらいに態度に出す子もいます。

そんなペットの様子を見て、ほとんどの飼い主さんは「本当に通じているんですね」と実感してくださいます。

「自分の気持ちが通じたんだ」とわかったペットたちは、家に帰っても飼い主さんに話しかけるようになります。

もの言いたげにじっと飼い主さんの顔を見たり、鳴きながら訴えたり。

「私がわかってあげられたらいいんですけれど……」そう言いながら、再びペットコミュニケーションを申し込んでくださる方もいらっしゃいます。

ペットも、あなたと心を通わせたいと願っています。

「心が通い合うってこんなにも違うんですね」と、コミュニケーションができるようになった飼い主さんが言ってくださいます。

心が通い合うことで、愛しさが増していく。

わかり合うって素晴らしいなと思います。

あなたとペットはどんな関係？

ペットコミュニケーションは、ペットとの関係を見直すきっかけにもなります。

ペットの存在は、私たちに癒やしや安らぎ、楽しさをもたらしてくれますね。

その一方で、お世話をする大変さや責任もあります。

毎日の食事や体のケア、遊びや散歩など、手間も時間もお金もかかります。

それでもたまらなく愛しい存在です。

あなたにとってペットはどんな存在なのでしょう。

ペットたちの可愛さに、私たちはキュンキュンしてついついつい何でもしてあげたくなります。

●何でも望みを叶えてあげたい！
●守ってあげたい！
●嫌がることはしたくない！
●私のこと一番に好きって言ってもらいたい！

そう思わずにいられません。

でも、そんな気持ちも行き過ぎれば「甘やかし」になります。

何気ない甘やかしがその子を王様にしてしまい、言うことを聞かない子にしてしまうことも少なくありません。

噛みつきやいたずら、吠えが止まらない、あちこちでおしっこしてしまうなど、いわゆる問題行動へと発展していくこともあるでしょう。

ペットコミュニケーションをしていると、ペットの言いたいことから飼い主さんとの関係が見えてくることがよくあります。

それがよくわかるこんな例がありました。

ご飯のムラ食いをしてしまうワンちゃんに悩んでいた飼い主さ

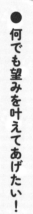

んから、ご相談がありました。

飼い主さんは少しでも食べてほしいと、好きそうなものを毎日用意しているけれど食べてくれない。どこか体調が悪いのかと病院にも行ったけれど、どこも悪くない。

「せっかく作ったのに、捨てることもあります。もうどうしたらいいのか困っています」ととても残念そうな表情でした。

「どうして食べないの？」

とムラ食いの様子をイメージしながら聞いてみました。

すると、

「食べさせてよ！　前にもやってくれたじゃん！」

と、少し強い口調で言ってきます。

さらに、スプーンで口に運んでもらっているイメージが伝わってきました。

飼い主さんに聞いてみると、

「あまりにも食べないので、時々スプーンで口に運んでいました」

「食べさせてくれないと食べない！」

さらに重ねて言ってくるワンちゃん。

聞けば、おやつも要求されてあげているそうです。

どうやら可愛くて手をかけているうちに、「何でもやってもらえる」と勘違いさせてしまったのですね。

こうなると、やってもらうまで言うことを聞きません。

心配のあまり飼い主さんのほうが根負けしてしまい、いつもワンちゃんの思い通りになってしまっていました。

これはちょっといき過ぎてしまった例です。

飼い主さんには、ワンちゃんの要求通りには動かないことやフォローの仕方をお伝えしました。

後日変化報告をいただき、だんだんムラ食いが減ってきたそうです。

愛情を注ぐことはとても大切ですが、度が過ぎた甘やかしになっていないか見直してみるといいでしょう。

心が通い合うと生まれる安心感

ペットコミュニケーションは、ペットの要求を何でも叶えたり、私たちの言うことを聞くようにするためのものではありません。ペットの気持ちや言いたいことを受け取って、互いに幸せになるためのツールの1つです。

ペットの気持ちだけが大切なのではなく、一緒に暮らす私たちの気持ちも大切です。

「この子にやめるように言ってください！」

時々、困った問題をやめさせてほしいと飼い主さんから言われることがあります。コミュニケーターから言われたら、ペットがなんでも言うことを聞くと思われるのかもしれません。

でも、それってなんか違う気がしませんか？

もちろん飼い主さんの意向は伝えますが、あくまでもやり取りのお手伝いがコミュニケーターの仕事です。

ペットがその行動をするには理由があります。

その理由や本音を聞いて、受け止めてあげるのは飼い主さんにしかできません。もっと言うと、ペットは飼い主さんに受け止めてもらいたいのです。

一時的に私に受け止めてもらっても、飼い主さんに受け止めてもらわなければ、ペットは失望するでしょう。

飼い主さん自らが、大切なペットの気持ちを受け取ってあげることで、ペットも安心するのです。

心が通い合うことは、大きな安心感をもたらします。

本音を受け取ったら、どうしたら一緒に幸せになれるか、改善策を見つけていきましょう。

ペットは飼い主さんの幸せを願っている

今までペットコミュニケーションをしてきた中で、いつも感じるのは「ペットはいつも飼い主さんの幸せを願っている」ということでした。もちろん嫌なことがあれば不平不満も言うし、言われたら飼い主さんも耳が痛いこともあるでしょう。

でも、ペットたちは心の底では飼い主さんの笑顔が大好きです。飼い主さんの辛そうな顔を見ているとペットも気持ちが沈んでしまうのです。ペットたちは、飼い主さんのことをよく見ています。

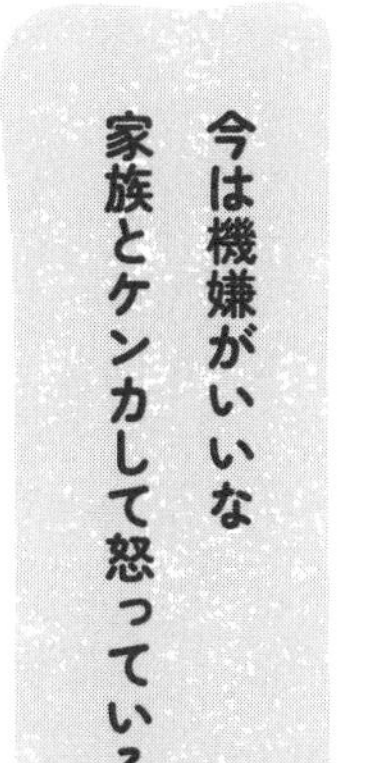
今は機嫌がいいな
家族とケンカして怒っているな

お仕事から帰ったら不機嫌（なんかあった？）……

最近何かに悩んでいるみたい……

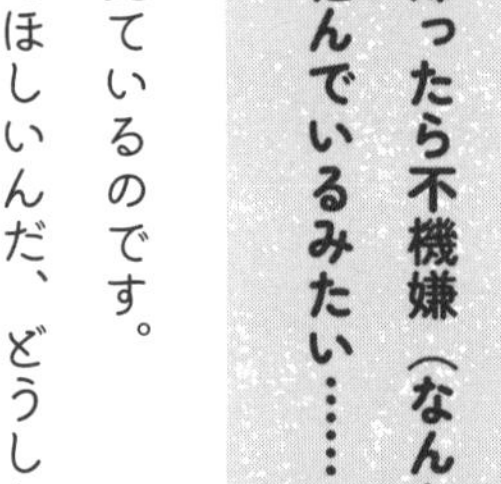

――など、よく見ているのです。
「なんとか笑ってほしいんだ、どうしたらいい？」
飼い主さんのためになろうと、逆に質問してくる子もいます。

「夫婦ゲンカばかりしていて、嫌だから仲良くして」

そう訴えてきたペットもいました。

夫婦ゲンカは犬も食わないと言いますが、本当に食いません（笑）。

争う場面は、誰でも嫌なものです。

大好きな飼い主さんには笑っていてほしいのです。

「ケンカをするのはボクのせい？」

なんて、聞いてくることもあります。

人にはいろいろな事情がありますが、どんな理由であっても
ペットたちは飼い主さんには幸せになってもらいたいのです。

生き方が変わることがあったとしても、あなたが決めたことならペットは応援してくれます。あなたを支えようとがんばってくれたりします。

「一緒に幸せになろうね」
飼い主さんの幸せが、ペットの幸せにつながります。
私はペットと雑談ができるようになってほしいと、講座でお伝えしています。
雑談は、目的のない会話のことです。
家族とも、夕食の時などに、今日あったことなど何気ない会話をしますよね。
ペットとも、そんな何気ない会話が楽しめたらいいなって思うのです。

お仕事から帰ったら、

「ただいま〜」

「おかえり〜」

「今日は何してたの?」

「ずっとゴロンとしてた〜」

「いいね! 気持ちよさそう! 私は今日もお仕事がんばったよ、疲れたー」

「お疲れ〜、ボクが癒やしてあげる(ぎゅって抱きつく)」

——みたいな会話はどうでしょう?

ぜひとも、ペットコミュニケーションを日常の中で活かし、楽しいペットライフを送ってくださいね!

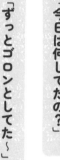

Chapter 4 まとめ

ペットもあなたとお話がしたいと思っているのです。ペットコミュニケーションを通して、たくさんお話ししてみてくださいね。

ペットコミュニケーションができるようになれば、これまで一方通行だったお互いの思いのボタンのかけ違いの解消になることも。

ペットはいつでも、飼い主さんの幸せを願っているのです。私たちが思っている以上に、よく観察し、いろんなことを考えているペット。本当に愛しいですね。

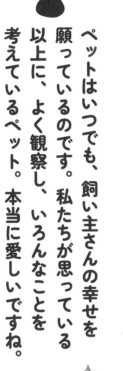

おわりに

この原稿を書いているたった今、とてもうれしいネコちゃんの変化の知らせが入ってきました。

「ついに触ることができたんです!」とうれしそうに動画を見せてくれるMさん。そこにはMさんに撫でられて、うっとりする表情のネコちゃんが映っていました。

このネコちゃんは、6歳の男の子。Mさんの実家で飼われています。でもこの6年間、Mさんはこの子の姿をまともに見たことはありません。

Mさんが実家に帰ると、一目散に隠れてしまい、同じ空間にいることはなかったそうです。家族の中で自分だけネコちゃんに嫌われている……どうしてなんだろう? と、Mさんもご家族も不思議に思っていました。
そこで、ペットコミュニケーションの依頼を受けたのです。

ネコちゃんに聞いてみると、「怖がられて警戒されたことに傷ついた、仲良くしようと思っていたのに……」と言ってきます。

Mさんに伝えると、
「確かに、動物が少し苦手なので怖いと感じていて、近寄ってほしくないと思ってしまいました。それが伝わっていたのですね」
ネコちゃんの「仲良くしたい」という純粋な気持ちが砕かれ、自分はいないほうがいいんだと感じ、いつも隠れていたと私に教えてくれました。

Mさんは幼い頃、ネコちゃんの威嚇の姿を見て恐怖を感じたことがあったそうです。実家のネコちゃんにその姿を重ねてしまって「近寄らないで！」というオーラを出していたのでしょう。Mさんは、当時のことを思い出し、心の見直しをし、ネコちゃんにも「ごめんね」と伝えたそうです。

そんなペットコミュニケーションからの初帰省は、お互いに躊躇しながらも、近寄ってくれてご挨拶ができたそうです。それだけでも家族中で驚いていましたが、数回の帰省でついに撫でられてうっとりするまでに仲良くなったのです。動画を見て私も驚きました。

「ペットコミュニケーションってすごいです！」

Mさんのうれしそうな笑顔に、私もニッコリ。

こんな瞬間が、私の喜びです。

「人もペットもニコニコ笑顔の毎日を！」

ペットコミュニケーションをする時に、私が念頭に置いている言葉です。

ペットだけ幸せになっても、ペットは喜びません。

飼い主さんだけの幸せも、寂しいですね。

ニコニコ笑顔がある時、そこには楽しさや幸せがあります。

お互いに、笑顔の毎日の連続が、かけがえのない時間になります。

あなたとペットの組み合わせは、世界にたった一つしかありません。

多頭飼いであっても、一頭一頭の組み合わせは、世界にたった1つしかありません。

たくさんいる動物の中で巡り合えた、奇跡のような組み合わせです。こんな奇跡と、毎日一緒にいられるのです。

なんて幸せなことでしょう！

ペットコミュニケーションを習得することで、さらに心は通い合うでしょう。

あなたとペットを幸せにするツールである、ペットコミュニケーション。

ペットと暮らす、すべての人に学んでほしいと願います。

本書を手にとっていただき、ありがとうございました。

この本ができあがる直前に、愛犬アルナが旅立ちました。

生後4カ月の頃、兄弟犬と彷徨っていたのを保護してから15年9カ月、一緒に過ごしてきました。

カメラが苦手なのに「お仕事だよ」と言うと、笑顔でカメラ目線で協力してくれる子でした。おかげでプロフィール写真は、アルナの可愛い笑顔。私のお気に入りです。

年を重ねる毎に可愛さが増し、介護する幸せを感じさせてもらいました。

一緒に過ごしたかけがえのない時間、すべてに感謝します。

そして私のところに来てくれた犬や猫、ペットたちに最大級の感謝を捧げます。

へんみなおこ

ペットコミュニケーションスクール代表。

ペットコミュニケーター、心理カウンセラー、思考の学校認定上級講師。

1961年静岡県生まれ。2005年、愛犬のラブラドールを亡くし、重度のペットロスになる。ペットロスの苦しみから、様々な経緯を経てインドの聖者のもとで精神修養、スピリチュアルを学ぶ。帰国後、独学で練習し、アニマルコミュニケーションを習得。練習する中で大きな気づきを経て、ペットロスが癒やされていく。2008年より、本格的にペットコミュニケーター、心理カウンセラー、セラピストとして活動開始。以降1万人以上の個人セッションを行い、人とペットの悩みに向き合う。

多くのクライアントと接する中で、飼い主さんがペットの気持ちを理解するのが一番いいと考え、「誰でもできるペットコミュニケーション」の講座をスタート、現在は認定ペットコミュニケーターとして活動可能な講座も展開中。

「人もペットもニコニコ笑顔の毎日を！」ペットと心を通わせることが、誰にとっても当たり前の世界になるように願っている。

Instagram

Pet Communication School

EST. 2021 PET COMMUNICATION SCHOOL

STAFF
装丁・デザイン　野口佳大
イラスト　佐藤右志
校正　伊能朋子
DTP協力　松田里恵
編集　坂本京子　阿部由紀子

ペットコミュニケーターが教える！

大好きなこの子のきもちがわかる本

初版1刷発行　2023年6月21日

著　者　へんみなおこ
発行者　小川 泰史
発行所　株式Clover出版
〒101-0051
東京都千代田区
神田神保町3丁目27番地8
三輪ビル5階
電話　03（6910）0605
FAX　03（6910）0606
https://cloverpub.jp
印刷所　日経印刷株式会社

ISBN978-4-86734-151-3　C0077

本書の内容に関するお問い合わせは、
info@cloverpub.jp宛に
メールでお願い申し上げます